Magicalibri, magicalibra, à nous...

Les jeux d'Olympie

hachette
JEUNESSE

On ne s'entend pas ! s'époumone Yoko.
– Où sommes-nous exactement ? hurle Georges.
– À Olympie, en Grèce, au VIIIe siècle avant notre ère, répond Medhi.
– Les chars ne vont pas tarder à foncer vers nous, vite, sortons d'ici ! » propose Cléa.

Cherche-moi dans
chaque page !

« Tous ces sportifs sont en plein entraînement, veillons à ne pas les déranger, dit Georges.
– Moi mon truc, c'est les anneaux, souffle Yoko à un jeune homme. Mais pas dans cette tenue…
– Il n'y a que des garçons ici, remarque Cléa, heureusement que les choses ont changé à présent ! »

Les athlètes sont bien trop occupés pour leur prêter attention.
« Le meilleur moyen de savoir si l'on gagne une couronne de fleurs ou une médaille, c'est de participer à une épreuve », suggère Medhi.

« Nous aussi devrions peut-être nous entraîner, vous ne croyez pas ? questionne Georges.
– D'accord, tentons le lancer de disque, propose Medhi.
– Ça n'a pas l'air si difficile, commente Cléa, on dirait des jouets de plage
– Sauf que ceux-là sont en cuivre et ils pèsent très très lourd, souffle Georges à bout de forces.

– Fais attention, c’est dangereux ! » dit Yoko à Medhi.
Trop tard !

« Bon, oublions le lancer de disque… » marmonne Georges.

« Si on essayait plutôt la course à pied ? suggère Cléa.
– OK, plaçons-nous sur la ligne de départ », répond Medhi.

Nos quatre amis ont à peine eu le temps de s'élancer que les coureurs sont déjà arrivés. Ils sont trop forts !
« Bon, oublions aussi la course à pied », soupire Georges.

« Regardez, une autre épreuve se prépare sous ces colonnades ! s'écrie Cléa. Allons voir de quoi il s'agit.

– Que font-ils ? demande Medhi, éberlué.

– Ils s'entraînent à la lutte dans la palestre, explique un juge.

– Ce sport n'est pas du tout pour nous, allons-nous-en d'ici ! » proteste Georges.

De retour au gymnase, nos quatre amis semblent découragés.
« Nous ne gagnerons jamais une épreuve, ces sportifs sont trop forts !
– C'est normal, ce sont des athlètes, ils s'entraînent à longueur d'année, dit Yoko.

– J’ai une idée ! s’écrie soudain Cléa.
Et si nous trouvions l’endroit où sont rangés les prix ?
Ainsi nous pourrions voir à quoi ils ressemblent. »

À la recherche de ce lieu mystérieux, nos quatre amis passent devant la salle des gardes. Cléa se dirige vers l'un d'eux.
« Savez-vous où se trouve l'endroit où sont rangés les prix qui sont remis aux vainqueurs ?
– Oui, dans le prytanée, le bâtiment que vous voyez là-bas, mais l'accès en est strictement interdit, et encore plus aux enfants !
– Nous n'en avons que pour quelques instants », répond Medhi avec un certain toupet.
Le garde interrompt sa partie de dés et se lève d'un bond.
« Filez d'ici ! »

Mais, sur un signe de Cléa, les enfants courent vers le prytanée.
« Vous ne manquez pas de culot, attendez que je vous attrape !
grogne le garde en s'élançant à leur poursuite.
– Super, ton entraînement à la course, souffle Georges.
– Oui, à ce train-là, nous serons fin prêts pour les jeux », rigole Yoko.

Ouf, ils sont arrivés les premiers et ils se cachent derrière les colonnes.
Le garde a beau les chercher, ils l'ont bel et bien semé.

À pas de loup, nos amis se faufilent à l'intérieur du bâtiment. La chance semble leur sourire, Yoko repère un petit panneau en bois accroché à une porte.

« C'est là ! chuchote Georges.

– Nous n'avons plus qu'à entrer, déclare Cléa.

– Dans "accès interdit", qu'est-ce que tu n'as pas compris ? » demande Medhi.

Un loquet condamne la porte, si haut qu'il est hors d'atteinte.

Alors que Cléa a presque réussi
à repousser le loquet,
un athlète passe dans le couloir.

« Mais qu'est-ce que vous faites là ?
– On s'entraîne, répondent les enfants
en chœur.
– Quel étrange jeu, je ne le connais pas !
– C'est le jeu de la pyramide, affirme Yoko.
Il a été inventé par les Égyptiens.
– Excellent, il faudra que je m'y entraîne,
merci ! Je vous laisse, je dois me rendre
à la course de chars, dit l'athlète en s'en allant.
– Ouf ! on a eu chaud. Quelle imagination,
Yoko ! » admire Medhi.

ACCES
INTERDIT

Mais impossible d'ouvrir la fameuse porte. Que faire ?
« J'ai une autre idée, filons voir cette course de chars », propose Yoko.

Sur la ligne de départ, l'athlète qu'ils ont croisé leur fait un grand sourire.
« Venez avec moi les amis, je vais vous montrer mon jeu à mon tour.
C'est très amusant, mais accrochez-vous bien. »

Hélas, le char où ont pris place les quatre petits explorateurs de l'Histoire est loin derrière les premiers.
« Je crains que nous ne perdions cette course, dit le conducteur.
– Qu'importe, vos chevaux sont les plus beaux de tous ! lui répond Cléa à haute voix.
– Et leurs crinières sont superbes, ajoute Georges.
– Youpi ! » s'écrient les enfants en chœur.
Flattés par ces compliments et encouragés par les cris de nos amis, les chevaux retrouvent de l'énergie, ils doublent tous les attelages et arrivent les premiers !

Le conducteur du char reçoit son prix, une couronne de lauriers.
« Vous l'avez méritée autant que moi, et pour vous remercier, je vous l'of

– Merci, elle est magnifique, dit Yoko en la posant sur sa tête.
– Énigme résolue, clame Georges, c'était bien une couronne, mais pas de fleurs, de lauriers ! »

Il est temps de rentrer, nos quatre amis joignent leurs mains et entrent dans le tourbillon magique :
« Magicalibri, magicalibra, à nous le présent ! »

Pour en savoir plus

Quand se situe l'époque des jeux d'Olympie ?

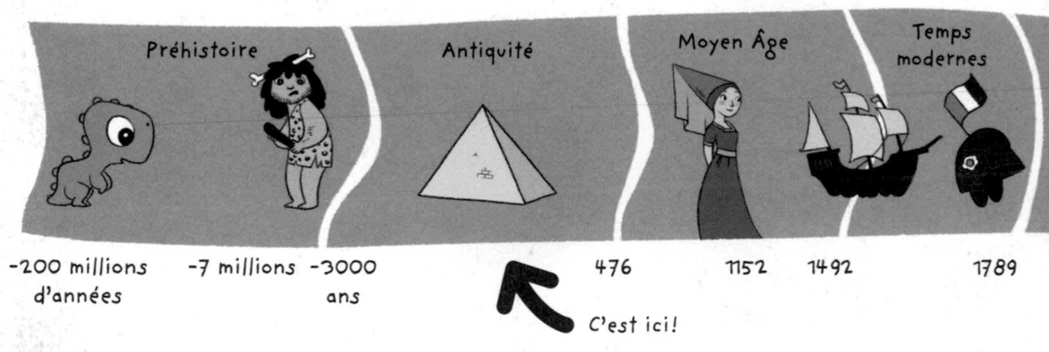

3 infos à retenir

Les jeux d'Olympie, créés en -776, se déroulaient tous les quatre ans.

Impensable ! Les femmes, à l'époque antique, n'étaient pas admises aux jeux.

L'athlète Léonidas de Rh
a remporté 12 victoire
un record !